MARLÈNE JOBERT RACON

Aladin
et la Lampe
Merveilleuse

Glénat jeunesse

Éditions Glénat
Couvent Sainte-Cécile
37, rue Servan
38000 GRENOBLE

Avec la participation de Marlène Jobert
Illustrations de couverture : Giuseppe Ferrario et Flavio Fausone
Illustrations intérieures : Atelier Philippe Harchy
Photo de couverture : Marianne Rosenstiehl
Prépresse et fabrication : Glénat Production

Achevé d'imprimer en janvier 2019 en Pologne par Dimograf.

Dépôt légal : août 2016
ISBN : 978-2-344-01665-7 / 002

Loi n°49-956 du 16 juillet 1949 sur les publications destinées à la jeunesse.

Il était une fois un pauvre tailleur, nommé Mustapha, qui habitait dans une ville lointaine d'Orient avec sa femme et son fils Aladin.

Mais cet enfant, paresseux et désobéissant, était un vrai garnement.

Il passait le plus clair de son temps à traîner dans les rues, et il n'y avait pas moyen de lui apprendre quoi que ce soit, ni par la douceur ni par la menace.

Son pauvre père fut si déçu qu'il en tomba malade et mourut de chagrin.

Aladin ne changea pas pour autant. Au contraire, il devint encore plus insouciant, ce qui désespérait sa mère. Il ne rentrait plus à la maison que pour manger le pain qu'elle avait péniblement gagné.

Un jour, alors qu'il jouait comme d'habitude avec ses compagnons sur la place du marché, un étranger arriva ; il se mit à l'observer longuement, s'approcha et se fit passer pour un riche marchand ; mais c'était en fait un puissant magicien.

Il demanda au jeune garçon son nom, puis celui de son père et celui de son grand-père.

Les réponses d'Aladin eurent l'air de satisfaire tout à fait l'inconnu, qui proposa :

– *Viens donc avec moi, j'ai besoin de ton aide. En récompense, je te donnerai de l'or, beaucoup d'or pour toi et ta mère !*
Aladin accepta tout de suite de le suivre.

L'étranger lui offrit d'abord un somptueux repas puis des costumes qui l'émerveillèrent, il le guida ensuite à travers la ville, dans les lieux les plus riches. Tout en marchant, il lui promettait de l'emmener dans un endroit plus fabuleux encore. Et ils se retrouvèrent bientôt en pleine campagne. Aladin se sentait bien fatigué, mais sa curiosité le poussait à continuer. Ils arrivèrent enfin entre deux montagnes, et le magicien s'arrêta : c'était exactement là qu'il voulait attirer l'enfant.

- *Mais il n'y a rien, ici !* fit Aladin, surpris.
- *Un peu de patience,* répondit l'étranger, dont le regard s'anima d'une lueur inquiétante.

Puis il lui demanda de préparer du feu et, lorsque les flammes furent hautes, il y versa des parfums inconnus et prononça de mystérieuses formules magiques : la terre s'ouvrit soudain, découvrant une énorme pierre. Aladin, effrayé par ce prodige, voulut s'enfuir, mais, aussitôt, l'étranger l'empoigna brutalement :
- *Grâce à moi, tu peux devenir très riche. Sous cette pierre est caché un immense trésor. Si tu prononces bien ton nom, puis celui de ton père et celui de ton grand-père, elle se soulèvera. Toi seul a ce pouvoir, toi seul ! Vas-y maintenant, vas-y...*

- Je suis Aladin, fils de Mustapha et petit-fils d'Ali, dit le garçon très ému, et il fut tout étonné de voir en effet la lourde pierre se soulever.

En dessous, il découvrit un escalier qui semblait s'enfoncer très profondément dans la terre. Et comme il hésitait à descendre, pour le décider, le magicien ôta la bague qu'il portait à son doigt et la lui tendit.

- Prends-la et n'aie plus peur, elle te protègera. Le souterrain mène à une grande salle qui s'ouvre sur un jardin. Tout au fond, tu verras une petite niche dans laquelle se trouve une lampe, rapporte-la moi !

Aladin songea aux richesses qui l'attendaient et, sans méfiance, fit exactement ce que le magicien demandait.

Au retour, il prit tout son temps pour admirer le jardin merveilleux : sur les arbres poussaient non pas des fruits mais des pierres précieuses. Il en remplit ses poches tant qu'il put.

Il commençait à peine à gravir l'escalier lorsque, là-haut, le magicien hurla :

- Mais qu'est-ce que tu fais ? Dépêche-toi espèce de vaurien ! Tends-moi la lampe et vite !

Ce ton soudain menaçant terrifia le jeune garçon ; il recula de quelques marches.

Le redoutable magicien, pressé de s'emparer de cette fameuse lampe, crut qu'Aladin voulait la garder pour lui seul ; alors, pour le punir, il prononça une formule magique, et le souterrain se referma.

L'enfant, prisonnier dans le noir, pleura de longues heures, en se demandant ce qui allait lui arriver.

Il finit par avoir très froid et pour se réchauffer, il se frotta les mains.

Sans le vouloir, il effleura aussi l'anneau du magicien d'où jaillit une fumée lumineuse, et un géant à la figure énorme apparut devant lui :

– *Ton génie et serviteur je suis ! Ordonne et j'accomplis !*

Aladin, stupéfait, bégaya :

– *Sors-moi d'ici !...*

Ils se retrouvèrent aussitôt dehors, le génie disparut comme il était venu, et Aladin rentra vite chez lui.

Sa mère fut soulagée de le revoir. Mais hélas, il ne restait plus rien à manger à la maison. Alors Aladin eut une idée. Pourquoi ne pas vendre ce qu'il avait dans les poches ?
Les pierres précieuses et même cette vieille lampe ?

Afin que celle-ci paraisse plus neuve, il voulut la nettoyer, mais à peine l'eut-il frottée qu'à nouveau un génie gigantesque surgit :
– *Ton génie et serviteur je suis ! Ordonne et j'accomplis !*
– *Apporte-nous à manger !* lui commanda tout simplement Aladin. Et, dans l'instant, le génie fit apparaître sur la table les mets les plus délicieux et les plus rares.

La mère d'Aladin n'en croyait pas ses yeux ; son fils lui prit la main et lui dit doucement :

- *Désormais, finie la misère, le génie de la lampe pourra nous fournir tout ce dont nous aurons besoin !*

Et c'est ce qui se passa. Les années qui suivirent, Aladin et sa mère ne manquèrent jamais de rien.

Un jour, Aladin aperçut la princesse Badroulboudour, fille du sultan ; il fut ébloui par sa beauté. Le jour comme la nuit il ne pensa plus qu'à elle et n'eut plus qu'un désir, l'épouser. Il rassembla les pierres précieuses qu'il avait autrefois trouvées dans le jardin souterrain et les confia à sa mère pour qu'elle les offre au sultan. La mère d'Aladin se rendit donc au palais. En présentant au sultan une coupe remplie de diamants, d'émeraudes et de rubis, elle demanda pour son fils la main de Badroulboudour.

Le sultan trouva les pierres vraiment très belles, mais cependant il répondit :

- *Mais, Madame, il faudrait que votre fils me fasse porter quarante coupes comme celle-ci pour que je lui donne ma fille en mariage.*

Apprenant cela, Aladin ordonna au génie de la lampe d'exaucer ce souhait. Lorsque le sultan le vit arriver accompagné par quarante serviteurs portant chacun une coupe de pierres précieuses, il l'accueillit à bras ouverts et le considéra comme son gendre. Mais le jeune homme voulut montrer qu'il était encore plus riche :

- *Votre Majesté voudra bien attendre pour le mariage que je fasse bâtir un palais digne de sa fille !*

Et, sitôt rentré chez lui, il appela le génie de la lampe :

– Génie, je veux que tu construises le palais le plus beau du monde, avec un toit recouvert d'or, des jardins splendides et des écuries pleines de chevaux magnifiques.

Le lendemain matin, tous purent admirer la richesse et la beauté du palais, qui se dressait là où encore la veille il n'y avait que le désert.

On célébra alors le mariage, et les jeunes époux vécurent dans le plus parfait bonheur, mais... seulement une année.

Le méchant magicien, qui habitait pourtant très loin de là, finit un jour par apprendre qu'Aladin n'était pas mort et qu'il vivait même dans la plus grande splendeur.

Il comprit qu'il avait découvert le secret de la lampe. Terriblement jaloux, il décida de la lui reprendre. En l'absence du jeune homme, il réussit à s'introduire dans le palais et à la voler.

Vite, il s'éloigna, la frotta et le génie apparut :

– Ton génie et serviteur je suis ! Ordonne et j'accomplis !

– Enlève le palais et la princesse, et transporte-les avec moi dans mon pays.

Et cela fut fait dans l'instant même.

Lorsqu'Aladin revint, il ne vit plus rien... que le désert.
Il en fut stupéfait ; il se jeta à terre et, se tordant les mains de désespoir, il frotta sans le vouloir l'anneau qu'il avait gardé au doigt.

Aussitôt, dans un tourbillon de fumée, il entendit :
– *Ton génie et serviteur je suis ! Ordonne et j'accomplis !*
– *Oh ! mon génie, j'aimerais tant revoir ma chère femme et mon palais !*

Aussitôt, Aladin se retrouva devant son palais sous les fenêtres de la princesse, que le magicien retenait prisonnière. Elle l'aperçut et l'aida en cachette à monter jusqu'à sa chambre. Le soir même, elle versa du poison dans le verre du magicien, qui s'écroula, foudroyé.

Aladin put alors reprendre la lampe magique et demanda au génie de les ramener, ainsi que le palais, dans leur beau pays d'Orient.

Lorsqu'il les revit, le sultan fou de joie, fit organiser pour leur retour des fêtes magnifiques qui durèrent plusieurs jours. Quelques années plus tard, il mourut. Aladin devint sultan à son tour et vécut très heureux avec la belle Badroulboudour.